Lazarillo de Tormes

Lazarillo de tormes

Adapted for intermediate students

Marcel C. Andrade

Professor of Spanish
University of North Carolina—Asheville

Illustrations by George Armstrong

National Textbook Company
a division of *NTC Publishing Group* • Lincolnwood, Illinois USA

The author wishes to dedicate this book to
to his brothers Dick Contino, the accordionist,
and Mike Sánchez, the engineer.

1996 Printing

Copyright © 1987 by National Textbook Company,
a division of NTC Publishing Group,
4255 West Touhy Avenue,
Lincolnwood (Chicago), Illinois 60646-1975 U.S.A.
All rights reserved. No part of this book may
be reproduced, stored in a retrieval system, or
transmitted in any form or by any means, electronic,
mechanical, photocopying, recording or otherwise,
without the prior permission of NTC Publishing Group.
Manufactured in the United States of America.

6 7 8 9 VP 9 8 7

Contents

Introduction

Published in 1554, *Lazarillo de Tormes* represents Spain's first important contribution to the genre known as the picaresque novel—a series of humorous tales that recount the adventures of roguish lower-class heroes. The picaresque novel originated in Spain, and Spanish writers provided models for the rest of Europe as to what the picaresque style should be. Even though the actual author of *Lazarillo de Tormes* was unknown, the novel quickly became popular throughout Europe. It was soon translated into French (1561), Dutch (1579), English (1586), German (1617), Italian (1622), and, finally, into Latin (about 1623). Later masters of the picaresque style, such as Cervantes, Henry Fielding, Tobias Smollett, and Alain Lesage, learned and borrowed from this book.

Because of its anticlerical satire, the Holy Inquisition prohibited further printing of *Lazarillo de Tormes* in 1559. The novel was eventually placed on the Church's Index of forbidden books; nonetheless, Spaniards continued to read it in pirated editions printed abroad.

The character of Lazarillo has roots in Spanish culture that antedate the novel itself. Boys who earned their food and lodging by serving as guides for blind persons were common throughout Spain in the sixteenth century. The unknown author of the novel thus created one of the great characters of world literature out of what was a fairly ordinary figure in the Spain of his day. The impact of his characterization was such that *lazarillo* ultimately became the Spanish word for a youth who guides a blindman *and,* more recently, the name of a seeing-eye dog.

The plot of the novel is divided into seven chapters, or *tratados.* Throughout the story, the main character, Lazarillo, becomes aware of the corrupt state of Spanish society as he serves a series of masters who represent important social types of the time. In rapid succession, he serves a blindman, a priest, a low-ranking aristocrat, a friar, a seller of indulgences, a chaplain, and a constable. In the end, Lazarillo finds social and financial independence by settling down as a town crier in Toledo.

Each of Lazarillo's masters reveals to him different facets of the corruption that surrounds him. The blindman, for example, opens his young eyes to the cruelty of the world. The priest shows him both hypocrisy and miserliness. The *hidalgo,* or lesser nobleman, symbolizes Spain itself: outwardly polished, but inwardly hollow. The friar and indulgence seller allow him to observe the libertine and swindling qualities of some of the clergy of the time.

These and subsequent masters educate Lazarillo *and* the reader on the dismal state of Spanish mores. Despite these revelations, however, the tone of the novel never becomes scolding or preaching. Lazarillo observes the whole scene with a lighthearted, wry objectivity. Through Lazarillo, the author is able to hold up a mirror to Spanish society, and, without sermons, asks Spaniards to ponder their reflection.

As in most picaresque novels, the plot of *Lazarillo de Tormes* is episodic. Events in the novel are unified by the character of Lazarillo. Lazarillo represents a departure from the medieval literary tradition of the virtuous knighthero (El Cid, for example). Instead, Lazarillo is an anti-hero—devoid of noble virtues, driven by hunger to do whatever he must to survive. Nonetheless, the reader pities him for his misery and sympathizes with him for his kind heart. Even in his misery, Lazarillo is able to laugh at himself. He is astute and perceptive, intelligent, compassionate, and funny. In Lazarillo, the author has created a genuine representative of the poor as they existed in Spain and throughout Europe in the sixteenth century.

In this edition of *Lazarillo de Tormes,* the original story has been specially adapted and abridged for the use of intermediate Spanish-language students. Archaic language has been modernized and difficult constructions simplified. Nonetheless, every effort has been made to preserve the verve and humor of the original. This adaptation also reproduces all the key sections of the original novel, so that students miss none of the episodes that have amused and illuminated readers for centuries.

Sideglosses and footnotes facilitate reading by explaining the meaning of difficult words and by clarifying obscure cultural references. A general Spanish-English Vocabulary at the back of the book offers further assistance. To check reading comprehension in the course of the story, content questions have been provided at the end of every chapter. Besides testing comprehension, these questions also allow students to develop their active speaking and writing skills in Spanish.

Prólogo

Yo pienso que aventuras famosas y tal vez nunca oídas° ni vistas,° deben llegar a oídos de mucha gente y no deben enterrarse en la sepultura del olvido. Puede ser que° el que las lea halle algo que le agrade. Y si no se busca el fondo,° tal vez estas aventuras lleguen a deleitar. A este propósito Plinio° dijo que no hay libro, por malo que sea, que no tenga alguna cosa buena.[1]

Pocos escribirían libros si no se sacara fruto° de su lectura, porque la recompensa no es el dinero, sino su lectura, y, si merecen, su alabanza. Tulio° dijo: "La honra cría las artes."[2]

¿Tiene despecho° de vivir el primer soldado que escala° la muralla? No, tiene deseo de alabanza. Así en las artes y las letras es lo mismo. El escritor quiere alabanzas. Y no me pesará que hayan lectores que lean con gusto mis fortunas, peligros y adversidades.

Le suplico a usted, mi lector, que reciba este pobre manuscrito, que sería más rico si yo tuviera más recursos.° Le relato extensamente para que se tenga° la completa historia de mi persona. También relato para que los que heredaron° nobles estados se den cuenta° lo poco que se les debe. La fortuna fue parcial con ellos. Por otro lado, los que tuvieron la fortuna contraria, hicieron mucho más. Remaron° con fuerza y maña y llegaron a buen puerto.°

oídas heard
vistas seen

puede ser que perhaps

fondo essence

Plinio Pliny the Younger (61–113 A.D.), Roman author

sacara fruto would benefit

Tulio Marcus Tullius Cicero (106–43 B.C.), Roman statesman, orator, and author
despecho dejection
escala climbs

recursos resources

heredaron inherited
se den cuenta realize

remaron rowed

puerto port

---

[1] Pliny the Younger, *Epistles,* Book 3, Epistle 5.
[2] Cicero, *Tusculan Disputations,* Book 1, Disputation 2.

TRATADO PRIMERO
Cuenta Lazarillo[1] su vida y quienes fueron sus padres

CAPITULO 1.
Sus padres

Pues, sepa° usted mi lector[2] que mi nombre es Lázaro de Tormes, hijo de Tomé González y Antoña Pérez, nativos de Tejares, aldea° cerca de Salamanca.[3] Yo nací en el medio del río Tormes. Por esa razón me dieron ese sobrenombre, y fue de esta manera. Mi padre tenía a

sepa let it be known to you

aldea village

---

[1] After the publication of *Lazarillo de Tormes, lazarillo* became the Spanish word for a boy who guides a blind man. Even today, blind beggars in Latin America are led by young boys. Today, *lazarillo* is also a common term for a seeing-eye dog. cf. Luke 16:19–25

[2] It is a common device in the picaresque novel for the protagonist to recount his or her life in first person.

[3] Capital of the province of Salamanca in northwestern Spain.

cargo un molino de harina en la ribera del río. Mi madre estando una noche en la aceña° me dio a luz° allí. Así es verdad cuando digo que nací en el río.[4]

Cuando yo tenía ocho años, mi padre hizo unas sangrías° mal hechas en los costales° de los clientes. Por eso lo pusieron preso, y confesó, y no negó,[5] y fue encarcelado. En ese tiempo se hizo una armada contra los moros,[6] y mi padre fue como acemilero° de un caballero. Y con su señor, como leal criado,° perdió su vida.

Mi madre, viuda y sin abrigo, me dio un padrastro° moreno° que se llamaba Zaide,[7] y un hermanito también negro, con quien yo jugaba y ayudaba a calentar.° Zaide era curador de bestias°. Quiso nuestra mala fortuna que pesquisas° encontraran a Zaide culpable de robar cebada, leña, mantas, sábanas, y otros utensilios que mi madre usaba, o me hacía vender, para criar a mi hermanito.

Todo lo que digo, probó la justicia. Yo, como era niño, decía todo lo que veía, porque tenía miedo. Al pobre padrastro mío azotaron° y pringaron.°[8] A mi madre dieron cien azotes y ordenaron que no acogiese en su casa nunca más a Zaide.

Mi triste madre se esforzó por cumplir la sentencia y se fue a servir en un mesón.° Allí padeció mil molestias° y acabó de criar° a mi hermanito hasta que supo andar y a mi hasta ser un buen mozuelo.°

aceña flour mill
dio a luz gave birth to

sangrías gashes
costales sacks

acemilero stable boy

leal criado loyal servant

padrastro stepfather

moreno black

calentar warm up

curador de bestias animal keeper
pesquisas investigations

azotaron whipped
pringaron covered with grease

mesón inn
molestias annoyances
criar to rear
mozuelo lad

---

[4] The flour mills, called *aceñas,* were located in the middle of rivers.

[5] *Y confesó y no negó.* cf. John 1:20

[6] This refers to a 1510 naval expedition led by García de Toledo. Millers and *acemileros* were often of Moorish origin.

[7] *Zaide:* a common Moorish name coming from the Arabic, meaning "Lord." Lázaro's stepfather was a Moorish slave.

[8] In Salamanca, any Moor who committed a serious offense was to be whipped. He was then covered with boiling hot lard.

Preguntas

1. ¿Dónde nació Lazarillo?
2. ¿Qué hacía su padre?
3. ¿Qué pasó cuando Lazarillo tenía ocho años?
4. Describa lo que es una sangría en este caso.
5. ¿Adónde fue su padre?
6. ¿Qué le sucedió a su padre?
7. ¿Quién era Zaide?
8. ¿Qué sentía Lazarillo por su hermanito?
9. ¿Qué le pasó a Zaide? ¿Por qué?
10. ¿Qué le hicieron a su madre?
11. ¿Dónde sirvió su madre?
12. ¿Por qué cuenta Lazarillo la historia de su vida?

CAPITULO 2.
Las lecciones del ciego

En ese tiempo vino al mesón un ciego, y mi madre me encomendó° a él rogándole que me tratara bien y que me cuidara porque yo era huérfano.[1] El ciego respondió que así lo haría, y que me tendría no como mozo, sino como hijo.

encomendó entrusted me

Cuando mi amo determinó salir de Salamanca, yo me despedí de mi madre. Llorábamos ambos y ella dijo:
—Ya no te veré nunca más. Procura° ser bueno, y que Dios te guíe. Tienes un buen amo. Válete° por ti.

procura try

válete take care of yourself

El ciego y yo salimos de Salamanca y en el puente donde está un gran toro de piedra, me dijo:
—Lázaro, pon la oreja contra ese toro y oirás un gran ruido.

Cuando sintió que yo lo había hecho, con su mano me dio una gran calabazada° contra el diablo del toro. El dolor del golpe me duró más de tres días. Entonces me dijo el ciego:

calabazada blow on the head

[1] In Spanish, the word *huérfano* ("orphan") may refer to a child who has lost only one parent.

—Necio,° debes saber que el mozo del ciego debe ser más astuto que el diablo—se rió mucho de su truco.

En ese momento desperté de la simpleza de niño y me dije:

—Es verdad lo que dice el ciego, debo avivar° el ojo y ser astuto, porque soy solo.

Comenzamos nuestro camino entonces, y el ciego me enseñó la jerigonza° y me dijo:

—Ni oro ni plata te puedo dar, pero sí muchas enseñanzas para vivir.

Y así lo hizo. Siendo ciego me alumbró y adestró° en la carrera de vivir.°

necio dunce

avivar sharpen

jerigonza thieves' slang

adestró guided

carrera de vivir ways of life

Preguntas

1. ¿Quién vino al mesón?
2. ¿Cómo encomendó su madre a Lazarillo?
3. ¿Qué dijo el ciego?
4. ¿Cómo se despidieron madre e hijo?
5. ¿Qué dijo el ciego a Lazarillo en el puente?
6. ¿Qué hizo el ciego luego?
7. ¿Qué enseñó el ciego a Lazarillo?
8. ¿Qué se dice para sí Lazarillo?
9. ¿Qué otra cosa enseñó el ciego a Lazarillo?
10. ¿Qué dice de esto Lazarillo?

CAPITULO 3.
Las mañas del ciego y su avaricia

Sepa usted, mi lector, que el ciego tenía mil formas de sacar dinero a la gente. Era un águila en su oficio. Sabía cien oraciones° y las hacía retumbar en las iglesias donde las rezaba con un tono bajo, reposado y muy sonable.° Su rostro era devoto y humilde sin gestos, como otros ciegos suelen hacer.° Vendía sus oraciones a mujeres para la fertilidad. Hacía pronósticos a otras que estaban encinta.° Hacía oraciones para el dolor de muelas, desmayos y enfermedades; finalmente, sabía curas para los males del amor. Por todo esto, mucha gente andaba detrás de él, y el ciego ganaba más en un mes que cien ciegos en un año.

oraciones prayers

sonable sonorous

suelen hacer are accustomed to do

encinta pregnant

Además, quiero que sepa usted, mi lector, que el ciego era avaro. Su avaricia era tan grande que me mataba de hambre. Sólo por mi ingenio pude sobrevivir, robando de lo mejor que tenía el ciego. Para esto le hacía trucos endiablados.° Así fue el caso del fardel.° Ponía el ciego el pan y todas las otras cosas en un fardel de lienzo que cerraba con una argolla de hierro y un candado. Cuando metía y sacaba las cosas del fardel, lo hacía con la mayor vigilancia del mundo. Después lo cerraba y se descuidaba. Yo descosía un lado del fardel y lo volvía a coser, extrayendo grandes pedazos de pan, torreznos° y longaniza.° Así yo satisfacía mi hambre.

endiablados devilish
fardel knapsack

torreznos bacon

longaniza sausage

El dinero que yo robaba al ciego lo cambiaba a medias blancas. Cuando daban una blanca[1] por sus oraciones, yo la metía rápidamente en mi boca y la cambiaba por una media. Por ligero que el ciego la cogía, ya estaba cambiada a la mitad de su precio. El ciego se quejaba: —¿Qué diablos es esto? Desde que estás tú conmigo sólo me dan medias blancas. Antes me daban blancas y hasta maravedís. En ti debe estar esta desdicha. Este problema nunca fue resuelto por el ciego.

[1] The *blanca* was a coin made of silver and copper. In 1497, by order of King Ferdinand and Queen Isabela, the value of the *blanca* was equal to one-half *maravedí*. The *maravedí* was a coin that was fixed at different values, depending on the reigning monarch of the time.

Preguntas

1. ¿Cómo era el ciego en su oficio?
2. ¿Qué sabía?
3. ¿Cómo era su tono?
4. ¿Cómo era su rostro?
5. ¿Qué vendía?
6. ¿Qué oraciones hacía?
7. ¿Cuánto ganaba el ciego?
8. ¿Por qué mataba de hambre el ciego a Lazarillo?
9. ¿Cómo guardaba el ciego las cosas?
10. ¿Qué hacía Lazarillo?
11. ¿Cómo robaba Lazarillo el dinero?
12. ¿Qué decía el ciego?

CAPITULO 4.
Los episodios del jarro de vino y las uvas

El ciego bebía vino en un jarro° cuando comíamos. Yo, muy presto, le daba al jarro un par de besos callados° y lo devolvía a su lugar. El ciego notó que el vino desaparecía. Optó° luego por tenerlo en su mano cuando comía. Entonces usé una paja larga de centeno para chupar el vino. El astuto ciego me sintió. Desde entonces puso el jarro entre sus piernas cuando comíamos. Yo, como moría por° el vino y estaba tan acostumbrado a él, decidí hacer un agujero en el fondo del jarro. El agujero era muy pequeño y yo lo tapaba con cera.° A la hora de comer, fingiendo tener frío, me metía° entre las piernas del astuto ciego. La cera, con el calor de la lumbre, se derretía° y la fuentecilla° de vino me caía en la boca, sin perder una gota. El ciego maldecía° y daba al diablo el jarro y el vino, no sabiendo qué podía ser. Examinó y dio tantas vueltas al jarro que finalmente dio con° el hueco. Disimuló° como si no lo hubiera sentido y no dijo nada.

Pasó el tiempo, y un día, cuando estaba yo tendido debajo de las piernas del ciego disfrutando° del vino, sin

jarro	clay cup
besos callados	silent kisses
optó	he chose
moría por	loved
cera	wax
me metía	I placed myself
derretía	melted
fuentecilla	small fountain
maldecía	cursed
dio con	found
disimuló	concealed his intentions
disfrutando	enjoying

sospechar ningún peligro, con la cara al cielo y los ojos medio cerrados, el ciego descargó un golpe, con todo su poder, sobre mi cara. Recibí tal golpe con el jarro que se me hirió° la cara y se rompieron mis dientes. Luego el ciego, sonriendo, me lavó con vino las heridas y dijo:

—¿Qué te parece, Lázaro? Lo que te enfermó, te sana. Desde ese momento quise mal° al ciego. El ciego contaba a la gente mis aventuras. Ellos respondían:

—¡Quién pensara que un chico pudiera ser tan ruin! ¡Castígale!° ¡Castígale!

Por esta razón, y como desquite,° yo le llevé al ciego por los peores caminos, por las piedras y por el lodo. El se vengaba pegándome con su bastón. Así continuó nuestra vida hasta que salimos de Salamanca para Toledo.

Cuando llegamos a Almoroz,[1] cosechaban allí las uvas. Le dieron al ciego dos racimos de limosna. Dijo el ciego:

—Lázaro, quiero ser generoso contigo hoy. Compartiremos estas uvas igualmente. Tú picarás° una vez y yo otra, hasta que acabemos, y así no habrá engaño.° Así concertado, comenzamos, mas el traidor ciego comenzó a picar de dos en dos. Yo piqué entonces de tres en tres hasta que acabamos. Dijo entonces el ciego:

—Lázaro, ¡tú me has engañado!

—¿Por qué sospechas eso?—le pregunté. Dijo entonces el astuto ciego:

—Porque yo picaba de dos en dos, y tu callabas.

Me reí entre mí notando la inteligencia del ciego. Salimos entonces hacia otro pueblito llamado Escalona.°

hirió wounded

quise mal I hated

castígale punish him

desquite retaliation

picarás will pick

engaño deceit

Escalona town in the province of Toledo

---

[1] Almoroz: a village in the northwestern part of the province of Toledo. The town is famous for its grapes. The villages mentioned after Salamanca—Almoroz, Torrijos, Escalona, and Maqueda—were all on the road from Salamanca to Toledo.

Preguntas

1. ¿Qué hacía Lazarillo con el vino del ciego?
2. ¿Qué usó Lazarillo entonces?
3. ¿Qué hizo Lazarillo en el jarro?
4. ¿Cómo reaccionaba el ciego?
5. ¿Encontró el ciego el hueco?
6. ¿Qué hacía un día Lazarillo sin sospecha?
7. ¿Qué hizo el ciego entonces?
8. ¿Qué daños sufrió Lazarillo?
9. ¿Qué hacía Lazarillo como desquite?
10. ¿Qué dijo el ciego en Almoroz? ¿Qué hizo?
11. ¿Qué hizo entonces Lazarillo?
12. ¿Cómo muestra su inteligencia el ciego?

CAPITULO 5.
Mi venganza

En Escalona pasé malos ratos con el ciego. Yo le robaba alimentos para poder vivir, y el mal ciego me descalabraba° y arpaba° la cara. No contento con esto el ciego contaba a la gente mis hazañas en tal forma, que aunque yo estaba muy maltratado y llorando, no podía resistir reirme.

descalabraba broke my head
arpaba scratched

Debido a los malos tratos del ciego, decidí dejarlo. Llovió un día y una noche. Por eso el ciego y yo andábamos por unos portales° rezando y pidiendo limosna. Al anochecer dijo el ciego:

portales arcades

—Lázaro, llueve mucho. Regresemos a la posada.

Para llegar a la posada debíamos cruzar un arroyo que, con la lluvia, estaba muy grande. Yo le dije:

—Tío, el arroyo está muy ancho. Quiero buscar un lugar que esté estrecho para no mojarnos. Dijo el ciego:

—Eres discreto, por eso te quiero bien. Busca ese lugar angosto porque ahora es invierno y es malo llevar los pies mojados.

Vi en esto la oportunidad para mi desquite. Lo llevé entonces derecho a un poste de piedra que había en la plaza. Le dije entonces:

—Tío, este es el paso más angosto que hay en el arroyo.

Como llovía mucho y nos mojábamos, teníamos mucha prisa. Esta vez Dios le cegó al ciego el entendimiento. Creyó lo que le dije y me dijo:

—Ponme bien derecho y salta tú el arroyo.

Yo le puse bien derecho enfrente del pilar de piedra y di un salto y me puse detrás del pilar como quien espera tope° de toro, y le dije:

tope charge

—¡Da un gran salto para que caigas en esta orilla del agua!

Apenas lo había dicho, cuando se abalanzó el pobre ciego como cabrón,° con toda su fuerza, dando con su cabeza en el poste. Sonó tan recio el golpe como si diera con una gran calabaza.° Cayó luego para atrás el ciego con la cabeza hendida y medio muerto. Le dejé al cuidado de mucha gente que vino a socorrerlo. Salí corriendo de Escalona y llegué a Torrijos. No supe más del ciego, ni traté de averiguarlo.

cabrón billy goat

calabaza pumpkin

Preguntas

1. ¿Qué le hacía el ciego a Lazarillo?
2. ¿Por qué se reía Lazarillo?
3. ¿Por qué decidió dejarlo Lazarillo?
4. ¿Cómo estaba el tiempo?
5. ¿Cómo estaba el arroyo?
6. ¿Para qué necesitaban un lugar angosto?
7. ¿Adónde llevó Lazarillo al ciego?
8. ¿Qué dijo Lazarillo?
9. ¿Qué hizo Dios?
10. ¿Qué hizo Lazarillo?
11. ¿Qué hizo el ciego?
12. ¿Cuál fue el resultado?

TRATADO SEGUNDO
Lázaro sirve a un clérigo°

clérigo priest

CAPITULO 6.
El episodio de los ratones

De Torrijos° fui a un lugar que se llama Maqueda.° Allí un clérigo que pedía limosna me preguntó si sabía ayudar a misa.° Dije que sí, porque el ciego me había enseñado esto además de muchas otras cosas. Me recibió el clérigo como sirviente suyo. Salí del trueno y di con el relámpago.[1] El ciego era en comparación con el clérigo un Alejandro Magno,°[2] aunque los dos eran igualmente avaros.

Torrijos town near Toledo
Maqueda town northwest of Toledo
ayudar a misa to serve as an altar boy

Alejandro Magno
Alexander the Great (356–323 B.C.), King of Macedonia and one of the greatest military leaders of all time

---

[1] *Salí del trueno y di con el relámpago:* a proverb, "to jump from the frying pan into the fire."
[2] Alexander the Great was known in Medieval Spain and Europe for his bravery and generosity.

El clérigo tenía una arca° vieja que cerraba con llave.
Ponía en ella el pan que le daban en la iglesia y la cerraba
con prisa. No había en su casa otra cosa que comer que
una horca de cebollas° también cerrada con llave. Mi
ración era una cebolla cada cuatro días. Yo me moría de
hambre. El clérigo comía bien pero me daba muy pocas
sobras. Los sábados él cocía una cabeza de carnero[3] y
comía los ojos, la lengua, el cogote, los sesos y la carne de
la quijada. A mí me daba los huesos roídos diciendo:

—Toma, come, triunfa, que para ti es el mundo. Tienes
mejor vida que el papa.

Depués de tres semanas que estuve con él, me puse tan
flaco que mis piernas ya no me sostenían por el hambre.
Yo moría. Pensé dejar al mezquino clérigo, pero no podía. Mis piernas me fallaban y temía encontrar peor amo.
Pero Dios quiso que un día, mientras el clérigo estaba
fuera de la casa, llegara un calderero.° Me preguntó si
necesitaba llaves. Alumbrado por el Espíritu Santo° le
dije:

—Tío, he perdido la llave de esta arca y temo que mi
señor me azote.

Probó el angélico calderero un gran sartal de llaves y
encontró una que abrió el arca. Como pago tomó el mejor
pan y se fue muy contento. Comí pan a mi gusto, pero vi
al tercer día que el clérigo contaba y recontaba los panes.
Entonces hice un agujero en el fondo del arca como si
fuera de ratones. Comencé a desmigajar el pan y comí las
migas como un ratón. El clérigo creyó que eran ratones
cuando miró el hueco en el arca. Tapó el agujero con
tablas y clavos, y yo, nuevamente hice un agujero, y él lo
tapó, y otro, y otro, hasta que el arca estaba llena de
agujeros y tablas y clavos. Puso entonces en el arca una
ratonera.° Entonces yo comí pan con queso y pasé un
tiempo muy contento. Mi vida era muy buena en ese
tiempo.

arca chest

horca de cebollas bunch of onions

calderero coppersmith
Espíritu Santo Holy Spirit

ratonera mousetrap

---

[3] *cabeza de carnero:* From the Middle Ages on, Spaniards abstained from eating meat on
Saturdays, except in Castile, where the head, giblets, and feet of animals were eaten.

Preguntas

1. ¿Para qué contrató el clérigo a Lazarillo?
2. ¿Qué dice Lazarillo?
3. ¿Cómo compara Lazarillo a sus amos?
4. ¿Qué contenía el arca y cómo la cerraba?
5. ¿Qué comía Lazarillo?
6. ¿Qué comía el clérigo los sábados?
7. ¿Qué le decía a Lazarillo?
8. ¿Cuál fue el efecto del hambre en Lazarillo?
9. ¿Qué hizo el calderero?
10. ¿Qué hizo el clérigo cuando miró el hueco en el arca?
11. ¿Qué hizo Lazarillo?
12. ¿Cómo se sentía entonces Lazarillo?

CAPITULO 7.
El episodio de la culebra°

culebra snake

Mi buena vida, mi lector, no duró mucho. El clérigo preguntó a los vecinos:

¿Qué podrá ser?, come queso, come pan, entra en el arca cuando quiere, y no cae en la ratonera. Un vecino le contestó:

—Yo me acuerdo° que había en su casa una culebra. Como es larga, entra en la trampa, toma el cebo y sale aunque le coja° la trampa.

me acuerdo I remember

le coja catches it

Mi amo creyó esto y se alteró mucho. De ahí en adelante no podía dormir. Lo excitaba° cualquier ruido en la madera de la casa durante la noche. Se ponía de pie y con un garrote que tenía, daba golpes a la pecadora arca° pensando que espantaba a la culebra. Con el estruendo despertaba a los vecinos, y a mí no me dejaba dormir. Venía a las pajas° donde yo dormía y las

excitaba upset

pecadora arca poor chest

pajas straw mattress

14

trastornaba buscando a la culebra. En la mañana me decía:

—Mozo, ¿no sentiste nada anoche? Las culebras son muy frías, buscan calor. Yo le contestaba:

—Ruegue a Dios que no me muerda, porque mucho miedo tengo de culebras.

La verdad es que yo tuve mucho miedo a las diligencias del clérigo y me pareció que debía esconder la llave que guardaba debajo de las pajas, en otro lugar. Me pareció que el lugar más seguro era mi boca. Esta era como una bolsa porque desde que viví con el ciego podía poner en ella hasta doce maravedís sin que me estorbaran al comer. Así lo hice desde entonces. Dormía sin recelo hasta que una noche cambió mi fortuna. Seguramente dormía yo con la boca abierta, y la llave, que era de cañuto,° se tornó en mi boca. Debía haber estado en tal posición, que el aire que yo exhalaba producía un silbato° en el hueco de la llave. El recio silbato fue oído por el sobresaltado clérigo quien creyó que era el silbo de la culebra.

cañuto reed
silbato whistle

Se levantó muy presto el clérigo con su garrote en la mano y se llegó a mí en la obscuridad, muy quieto. Levantó el garrote cuando creyó que tenía la culebra debajo de sí y me descargó en la cabeza tan recio golpe que me descalabró y me dejó sin sentido.°

sin sentido
unconscious
fiero golpe fierce
blow

Cuando sintió que me había dado un fiero golpe,° trató de despertarme llamándome. Me tocó con sus manos y sintió mucha sangre. Con gran prisa fue a buscar luz. Cuando me vio, yo tenía aún la llave en mi boca. Me la quitó y fue a probarla en el arca. Dijo el cruel cazador:°

cruel cazador
cruel hunter

—He encontrado al ratón y a la culebra que me daban guerra.

Quince días tardé en curarme. Muchos se rieron de mis penas. Finalmente me dijo el clérigo:

—Lázaro, de hoy en adelante eres tuyo y no mío.— Así me despidió el cruel sacerdote.

16

Preguntas

1. ¿Qué preguntó el clérigo a los vecinos?
2. ¿Qué contestó un vecino?
3. ¿Por qué no cae en la trampa la culebra?
4. ¿Cómo reaccionó el clérigo?
5. ¿Qué le decía el clérigo a Lazarillo?
6. ¿Qué era la verdad?
7. ¿Dónde decidió Lazarillo esconder la llave?
8. ¿Cómo era la boca de Lazarillo?, ¿por qué?
9. Describa lo que pasó con la llave.
10. ¿Qué hizo el clérigo?
11. ¿Qué sintió el cruel cazador?
12. ¿Cómo despidió el clérigo a Lazarillo?

TRATADO TERCERO
Lázaro sirve a un escudero[1]

CAPITULO 8.
Lázaro pasa más hambres en Toledo

Con la ayuda de las buenas gentes llegué a esta insigne°   **insigne** illustrious
ciudad de Toledo, donde en quince días se me cerró la
herida causada por el cazador de culebras. Pedí entonces
limosna y busqué a un nuevo amo a quien servir.
Andando por la calle vi a un escudero bien vestido, bien
peinado, su paso y compás en orden.[2] Me miró y yo le
miré, entonces dijo:

---

[1]   *escudero:* "squire," the lowest rank among the nobility.
[2]   *paso y compás:* a nobleman's dignified walk.

—Muchacho, ¿buscas amo?— Yo le dije:

—Sí, señor.

—Pues ven conmigo—me respondió—. Dios te ha premiado en encontrarme. Alguna buena oración rezaste hoy.

Caminamos todo el día, pasando por plazas° donde se vendía pan y otras provisiones, y no compramos nada. Fue él a la iglesia mayor y oyó misa° muy devotamente. A la una fuimos a su casa, la cual era lóbrega y desproveída.[3] El escudero colgó su capa muy limpiamente. Se acomodó y me pidió detalles de mi persona. Todo le conté. Me moría de hambre y esperaba en este momento comer algo. El escudero debía tener todo previsto. Estando así me dijo:

—Tú mozo, ¿has comido ya?

—No, señor—dije yo—, no he comido bocado.

—Yo he almorzado muy temprano—dijo—. Generalmente como en la noche. Pasa como puedas y entonces cenaremos.

Cuando oí esto casi me morí, no de hambre, sino de entender que en todo, la fortuna me ha sido adversa. Lloré mi mala suerte y mi muerte venidera.° Pensé que el clérigo, aunque avaro y cruel era mejor. Entonces me senté en el portal y saqué de mi seno° tres pedazos de pan que allí guardaba y comencé a comerlos.

—Ven aquí, mozo—me dijo—. ¿Qué comes? Tomó entonces el pedazo más grande que yo tenía y se lo comió con tan fieros bocados como yo el otro. Me di cuenta de su hambre y rápidamente comí el restante y terminamos al mismo tiempo.

Pasamos la noche hablando. Dormí al pie de la sucia cama del escudero calentando sus pies. Dijo finalmente mi nuevo amo:

—Lázaro, tú vivirás más sano porque no hay tal cosa en el mundo para vivir mucho que comer poco.

plazas public squares

oyó misa attended mass

muerte venidera approaching death

seno chest, bosom

[3] lóbrega: "gloomy," "mournful"; desproveída: "ill provided." These words set the tone of the chapter.

Cuando el escudero salió de la casa en la mañana, miré al cielo y dije:

—¡Oh Señor, cuántos de estos tienes derramados en este mundo! ¡Ellos padecen por su negra honra lo que no sufren por su Dios!

Preguntas

1. Describa al escudero.
2. ¿Qué respondió el escudero?
3. ¿Cómo era la casa del escudero?
4. ¿Por qué dice el escudero que no comen?
5. ¿Qué entendió Lazarillo?
6. ¿Qué pensó del clérigo?
7. ¿Qué dijo el escudero?
8. ¿Cómo comió el escudero?
9. ¿Cómo comió Lazarillo?
10. ¿Qué proverbio dice el escudero?
11. ¿Qué piensa usted de este proverbio en el caso de Lazarillo?
12. ¿Qué dice irónicamente Lazarillo?

CAPITULO 9.
El escudero requiebra° a dos rebozadas° damas

requiebra woos
rebozadas veiled

En la misma mañana, mientras estaba yo mirando y pensando, vi pasar por la calle a mi amo quien iba hacia el río. Tomé mi jarra° y fui al río donde vi a mi amo en una huerta requebrando a dos damas embozadas. Muchas damas de éstas, tienen la costumbre de ir en las

jarra water jug

mañanas de verano a refrescarse y a almorzar, sin llevar almuerzo, por aquellas frescas riberas.° Tienen confianza que los hidalgos° del lugar las invitarán, porque así es la costumbre allí.

riberas river banks
hidalgos noblemen

Mi amo estaba entre ellas, hecho un Macías[1] diciéndoles más dulzuras que Ovidio[2] escribió. Cuando sintieron tanta ternura en él, no les dio vergüenza pedirle el acostumbrado almuerzo.

El escudero sintiéndose tan frío de bolsa° como tan caliente del estómago,° sufrió grandes escalofríos que le robaron el color° y el gesto. Comenzó a turbarse en la conversación y dio excusas ridículas. Ellas, siendo damas de experiencia, se dieron cuenta° de su enfermedad y lo dejaron solo.

frío de bolsa penniless
caliente del estómago hungry
robaron el color made him pale
se dieron cuenta realized

Yo, sin ser visto, regresé a nuestra casa. Eran las dos y el escudero no regresaba. Moría yo del hambre. Entonces comencé a hacer lo que aprendí del gran maestro, el ciego. Con baja y enferma voz, e inclinadas mis manos en los senos comencé a pedir pan por las puertas y casas más grandes. Antes que el reloj diera las cuatro, yo tenía libras de pan ensiladas° en el cuerpo y otras dos escondidas en mi ropa. Pasé por una tripería° y una mujer me dio una uña de vaca° y unas pocas tripas cocidas. Llegué a mi casa y encontré a mi amo paseándose por el patio. Le mostré el pan y las tripas, y con buen semblante dijo:

ensiladas stored away
tripería meat market where tripe is sold
uña de vaca hoof of a cow

—Te esperé para comer, pero como no viniste, comí. Haces muy bien en pedir qué comer en la calle. Es mejor que robar. Una cosa te pido: No se lo digas a nadie por lo que toca a mi honra.[3]

—De eso pierda cuidado—dije.

—Come pues ahora—me dijo—, pronto nos veremos sin necesidad. Esta casa me ha traído mala suerte. El próximo mes nos mudaremos a otra casa.

---

[1] *Macías:* fourteenth-century Galician troubadour and model of faithful lovers; he earned the title *el Enamorado.*

[2] *Ovidio:* Ovid (43–17 B.C.), Latin poet who wrote *The Art of Love*

[3] *. . . mi honra:* "my honor." The exaggerated pride of the nobility is satirized here. Lazarillo symbolizes the opposite.

Me senté y comencé a comer mis tripas y el pan. El pobre escudero no quitaba sus ojos del alimento. Sentí tanta lástima por él porque yo sabía lo que era tener hambre. Me dijo entonces:

—Lázaro, tú tienes tanta gracia en comer, que me has dado gana.°

—Este pan está sabrosísimo—dije yo—, esta uña de vaca está tan bien cocida y sazonada que convida su sabor.

—Te digo que es el mejor bocado del mundo, aún mejor que el faisán—dijo el escudero.

Puse en sus uñas° la uña de vaca y cuatro raciones de pan. El se sentó a mi lado y comió con mucha gana,° royendo° limpio cada huesillo. Así pasamos por ocho o diez días. El escudero salía en las mañanas y Lázaro pedía limosna todo el día para que ambos, amo y sirviente, pudieran mitigar las entrañas° que roían con diente voraz.°

me has dado gana have given me the desire

uñas nails

gana desire

royendo gnawing

entrañas entrails

diente voraz ravenous tooth

Preguntas

1. ¿Dónde estaba y qué hacía el amo de Lazarillo?
2. ¿Qué costumbre tienen esas damas?
3. ¿Qué confían?
4. ¿Qué pidieron las damas?
5. ¿Cómo reaccionó el escudero?
6. ¿Qué hicieron al comprender su enfermedad?
7. ¿Qué aprendió Lazarillo del ciego?
8. ¿Dónde tenía el pan?
9. ¿Por qué dice el escudero que tiene mala suerte?
10. ¿Qué hizo el hidalgo cuando comía Lazarillo?
11. ¿Qué puso en sus uñas?
12. ¿Cómo pasaron los días?

CAPITULO 10.
La vanidad del escudero

A pesar de su pobreza, me gustaba más servir al escudero
que a los otros amos que tuve. Le tenía yo lástima por
todo lo que le vi sufrir. Sólo me descontentaba una cosa.
El tenía mucha presunción. Hubiera querido yo que
bajara° un poco su fantasía con lo mucho que subía su
necesidad.

bajara would lower

Pues, estando las cosas así debido a la mala cosecha ese
año en Toledo, acordaron en el Ayuntamiento,° y
anunciaron con pregón, que todos los pobres extranjeros°
debían salir de la ciudad o serían azotados. Yo sentí un
gran espanto. Mi amo y yo quedamos entonces en
abstinencia por tres días. No comimos bocado ni
hablamos palabra. Algo comí yo después, pero mi amo
pasó ocho días sin alimento. Yo sentía más lástima por él
que por mí. El salía todos los días y regresaba preten-
diendo, por su honra, haber comido. Así, se limpiaba los
dientes con un palillo,° como quien ha terminado un
banquete. El pobre parecía un perro galgo° con su
estirado cuerpo y su flaqueza.

Ayuntamiento city hall
extranjeros foreigners

palillo toothpick
perro galgo greyhound

Un buen día cambió nuestra mala suerte. Entró en
poder de mi amo un real.[1] Dijo entonces:
—Toma, Lázaro. Dios está abriendo su mano. Ve a la
plaza y compra pan, vino y carne. ¡Quebraremos el ojo al
diablo![2] Además he alquilado otra casa. Saldremos de
ésta al cumplir el mes. Ve y ven presto, y comamos hoy
como condes.

Así lo hicimos por varios días. Supe también que mi
amo era de Castilla la Vieja. Había venido a Toledo por
no quitarse el bonete° ante un vecino que era reacio a
quitarse el suyo para contestarle el saludo, aunque el
vecino era más rico.

bonete red cap

---

[1] The *real* was worth 34 *maravedís.*
[2] *¡Quebraremos el ojo al diablo!*: "We will break the devil's envious eye." This expression was
used traditionally to celebrate the beginning of a new activity or a new stage in one's life.

—Señor, —dije yo,— si él tenía más dinero que tú, ¿era error que te quitaras el sombrero primero?

—Eres muy joven—me respondió—y no sabes las cosas de la honra. Si topo en la calle con un conde y no se quita bien quitado el bonete, la próxima vez que venga, fingiré un negocio y entraré a una casa, para no quitármelo. Un hidalgo no debe nada a nadie sino a Dios y al rey. Una vez en mi patria un oficial me saludó diciendo: "Mantenga Dios a vuestra merced."[3] Le dije entonces:

—Tú, villano ruin, ¿por qué no eres bien educado?° "Manténgaos Dios", me dirás en adelante. Así lo hizo desde ese momento, quitándose el bonete.

bien educado well mannered

—¿Y no es bien educado saludar a otro —dije yo—con decirle que le mantenga Dios?

—Sólo los hombres de poca arte saludan así—dijo el escudero—. A los más altos como yo han de decir: "Beso las manos de vuestra merced" o "Bésoos,° señor, las manos."

Bésoos (as **beso**) I kiss your hands

—Lázaro—dijo mi amo—en mi tierra soy muy rico, tengo casas que valen más de doscientos mil maravedís, un palomar derribado,° y otras cosas que me callo. Vine a Toledo pensando que encontraría buen asiento, pero los señores de esta tierra son muy limitados. Pagan a largos plazos, o comido por servido.°

palomar derribado fallen-down rookery

comido por servido service for room and board

Mientras hablábamos, entró por la puerta un hombre y una vieja.° El hombre pidió el alquiler de la casa y la vieja pidió el alquiler de la cama. Fueron doce o trece reales. Mi amo les dijo que iba a la plaza para cambiar dinero y que ellos volvieran en la tarde. Mas su salida fue sin vuelta. Los mozos suelen dejar a los amos; pero en mi caso fue el amo quien me dejó y huyó de mí.

vieja old woman

---

[3] *Mantenga Dios a vuestra merced:* This was a common way of greeting among the lower classes, but offensive to a wellborn person. The wellborn used *"Beso las manos de vuestra merced."*

24

Preguntas

1. ¿Por qué gustaba más a Lazarillo servir al escudero?
2. ¿Qué acordaron en el Ayuntamiento?
3. ¿Qué pretendía el escudero?
4. ¿Qué mandó a hacer el escudero con un real?
5. ¿De dónde era el escudero?
6. ¿Por qué vino a Toledo?
7. Según el escudero, ¿cómo se debe saludar propiamente?
8. ¿Qué hará el escudero si un conde no se quita el bonete?
9. ¿Qué tiene en su tierra el escudero?
10. ¿Cómo son los señores de Toledo?
11. ¿Quiénes entraron mientras hablaban?
12. ¿Qué hizo el escudero?

TRATADO CUARTO
Lázaro sirve a un fraile de la Merced

CAPITULO 11.
Lázaro encuentra a su nuevo amo

Busqué a mi cuarto amo y encontré al fraile de la Merced,[1] gracias a unas mujeres vecinas. Ellas lo llamaban su
pariente.° Este fraile era gran amigo del coro de las   pariente relative
monjas y de comer en el convento. Era amiguísimo de
negocios seglares.° Le gustaba mucho salir y le encantaba   seglares worldly
hacer visitas. El acababa° más zapatos que todo el   acababa wore out
convento de monjas junto. Este fraile me dio mi primer
par de zapatos, los que no me duraron ni ocho días

---

[1] *la Merced:* a religious order known at this time for its worldly ambitions. They were chiefly
engaged in ransoming Christian captives held by the Moors.

26

porque trotando con él se acabaron muy pronto. Debido
a° esto y por otras cosas que no digo, dejé a este amo.   **debido a** because of

Preguntas

1. ¿Cómo encontró Lazarillo al fraile?
2. ¿Por qué cree usted que lo llamaban pariente?
3. ¿Qué le interesaba al fraile?
4. ¿Por qué acababa los zapatos?
5. ¿Por qué cree usted que Lazarillo no. dice más cosas del fraile?
6. ¿Cómo cree usted que debe ser un fraile?

TRATADO QUINTO
Lázaro sirve a un bulero[1]

CAPITULO 12.
El desvergonzado vendedor de
indulgencias°

indulgencias pardon of
sins

Mi quinto amo fue un vendedor de indulgencias. Era
desenvuelto,° y sinvergüenza.° Fue, sin duda, el bulero
más provechoso° que jamás yo vi, y veré. El se buscaba
modos y maneras de engañar con muy ingeniosas
invenciones.

Al entrar en un lugar donde iba a administrar las
indulgencias, hacía primero pequeños regalos a los

desenvuelto
unrestrained
sinvergüenza
shameless
provechoso profitable

---

[1] *bulero:* during the Holy Crusade, a "pardoner" who sold indulgences granting full remission
of sins. The money went to finance campaigns against the infidels in North Africa. In 1524,
Charles V issued a decree forbidding the forcible selling of indulgences.

clérigos. Estos regalos eran una lechuga murciana,[2] un par de limas o naranjas, un melocotón, un par de duraznos o peras verdiñales.[3] Así conseguía la gratitud de los clérigos quienes llamaban a la congregación a tomar las indulgencias.

Se informaba luego de la erudición de estos clérigos. Si ellos hablaban latín, el bulero no hablaba palabra para no dar tropezón.° En cambio les hablaba en gentil y bien cortado español. Si se enteraba que los clérigos eran ricos, reverendos, o sea que tenían más dinero que educación, el bulero se hacía un Santo Tomás[4] entre ellos, y hablaba dos horas en latín.

dar tropezón to stumble

Cuando no le tomaban las indulgencias por las buenas les hacía tomarlas por las malas.[5] Para el efecto, hacía molestias al pueblo muchas veces con mañosos artificios. Si yo contara todos los trucos que le vi hacer, sería muy largo. Mi favorito truco, empero, es el de la Sagra de Toledo,[6] que se relatará adelante.

Preguntas

1. ¿Cómo era el vendedor de indulgencias?
2. ¿Cómo engañaba a la gente?
3. ¿Qué regalaba a los clérigos?
4. ¿Cómo reaccionaban los clérigos?
5. ¿Cuándo les hablaba latín? ¿Por qué?
6. ¿Cuándo les hablaba español?
7. ¿Quiénes eran los reverendos?
8. ¿Qúe hacía el bulero al pueblo?
9. ¿Por qué no cuenta Lazarillo más trucos?
10. ¿Cuál es el truco favorito de Lazarillo?
11. Explique la frase, "se hacía un Santo Tomás."
12. Explique lo que era un *bulero.*

[2]   *murciana:* from the province Murcia, famous for its vegetables.
[3]   *verdiñales:* a pear that remained green even after ripening.
[4]   *Santo Tomás:* Saint Thomas the Apostle, traditionally known for his preaching.
[5]   *por las buenas o por las malas:* "willy nilly," whether you want it or not.
[6]   *la Sagra de Toledo:* a county near Toledo, not far from Madrid.

CAPITULO 13.
El engaño de la Sagra de Toledo

Una noche, después de cenar, mi amo, el clérgio bulero y el alguacil[1] del lugar jugaron y apostaron.° Riñeron° y se insultaron después. Mi amo tomó una lanza y el alguacil sacó su espada. Mi amo lo llamó ladrón y el alguacil lo acusó de farsante. Debido al gran ruido, acudió mucha gente para separarlos. Los dos, muy enojados, trataron de matarse. Finalmente, sin poder ponerlos en paz,° los separaron, llevando al alguacil a otra parte.

A la mañana siguiente mi amo mandó tañer° las campanas de la iglesia durante la misa y el sermón, para conferir las indulgencias. El pueblo se juntó murmurando que las bulas eran falsas, porque el alguacil lo había descubierto al reñir con mi amo. Subió mi amo al púlpito y cuando estaba en lo mejor del sermón, entró en la iglesia el alguacil. Con voz alta y muy pausada dijo:

—Buena gente, permítanme decir una palabra y luego escuchen a quien quieran. Yo vine aquí con este estafador° que les predica.° Habíamos acordado partir las ganancias de la venta de indulgencias si yo lo ayudaba. El me engañó. Ahora, al ver el daño que yo haría a mi conciencia y al dinero de ustedes, me he arrepentido. Confieso que sus bulas son falsas y que no deben creerle. Desde este momento dejo de ser alguacil y doy con mi vara en el suelo.[2] Si apresan a este falso clérigo, sean ustedes testigos que no tengo relaciones con él—y acabó su discurso.

Los feligreses quisieron echar al alguacil fuera de la iglesia para evitar escándalo, pero mi amo les mandó que no lo hicieran, sobre pena de excomunión.°

Mi amo, entonces, se hincó° y puso los ojos en el cielo diciendo:

—Dios mío, tú sabes la verdad y sabes que soy injustamente acusado. Te pido, Señor, que hagas un

apostaron gambled
Riñeron they squabbled

ponerlos en paz make peace among them

tañer toll

estafador swindler
les predica preaches to you

excomunión banishment from church
se hincó knelt down

---

[1] *alguacil:* Pardoners had with them a constable (*alguacil*) to collect valuable objects, such as gold rings and necklaces, from families that could not pay cash for their pardon. These personal possessions were returned when money was presented as payment.

[2] *doy con mi vara en el suelo:* "I throw my staff on the ground," meaning, "I resign as constable."

milagro. Si yo soy falso, mándame con este púlpito al infierno. Si el alguacil es falso, te pido Señor, que sea castigado porque quiere privar a los presentes de la bula.

Al terminar mi devoto señor su oración, el alguacil cayó al suelo dando un gran golpe que resonó por toda la iglesia. Comenzó a bramar y a echar espuma por la boca. Hizo gestos con la cara y movimientos con todo el cuerpo. Se revolvió en el suelo de una parte a otra. El estruendo y las voces de la gente fueron muy grandes. Los feligreses ataron al alguacil y fueron donde mi amo y le pidieron que socorriera al pobre alguacil que moría.

Mi señor bajó los ojos del cielo, como quien despierta de un dulce sueño, y dijo muy pausadamente:

—Dios manda que no volvamos mal por mal, y manda que perdonemos las injurias. ¡Oremos!°   **oremos** let us pray

Puso la bula en la cabeza[3] del alguacil y éste comenzó poco a poco a tornar en sí.° Luego, recuperado, se echó a los pies del clérigo y le pidió perdón. Todos los presentes tomaron la bula con gran prisa entonces.   **tornar en sí** come to his senses

Yo creí que todo esto era verdad y me espanté, pero después vi que mi amo y el alguacil se reían mucho, comentando su burla.° La noticia se divulgó por todas partes. Así mi amo dio más de mil bulas ganando mucho dinero.   **burla** trick

Cuatro meses pasé con mi quinto amo, en los cuales padecí muchas penas.

---

[3] *en la cabeza:* papal indulgences were often placed on the head (God's temple) as a sign of respect for the sacredness of these pardons.

Preguntas

1. ¿Qué hicieron el clérigo y el alguacil?
2. ¿Qué habían acordado el clérigo y el alguacil?
3. ¿Qué confiesa el alguacil?
4. ¿Qué hace él luego?
5. ¿Qué impidió el clérigo?
6. ¿Qué pide a Dios el bulero?
7. ¿Qué hizo luego el alguacil?
8. ¿Qué pidieron los feligreses?
9. ¿Qué dijo el clérigo?
10. ¿Qué hizo con la bula?
11. ¿Qué creyó Lazarillo?
12. ¿Cómo se enteró Lazarillo de la verdad?

TRATADO SEXTO
Lázaro sirve a un capellán

CAPITULO 14.
Lazarillo prospera

Después de servir al clérigo bulero, serví a un pintor de
tambores.° Yo preparaba las pinturas para él. Sufrí con   **tambores** drums
este amo mil males.

En esta época yo ya era adolescente,° y un día, cuando   **adolescente** teenager
entraba en la iglesia mayor, un capellán me contrató
como sirviente suyo. Me dio un buen asno,° cuatro   **asno** donkey
cántaros, y un azote,° y comencé entonces a vender agua   **azote** whip
por la ciudad.[1] Este fue el primer escalón° que yo subí   **escalón** step

---

[1] *vender agua por la ciudad:* Since there was no running water in the cities at this time,
aguadores, or water peddlers, sold water from house to house (as Lazarillo did in Chapter 9).

34

para alcanzar la buena vida. Entonces yo ya no padecía de hambre. Ganaba para mi amo treinta maravedís diarios, y los sábados ganaba para mí treinta también.

Me fue tan bien en el oficio que al cabo de cuatro años de ahorrar, pude vestirme muy honradamente de ropa vieja. Compré un jubón de fustán° viejo, una blusa de mangas, una capa frisada,° y una espada de las más viejas de Cuéllar.² Ya que me vi hombre de bien, le dije a mi amo que tomara su asno porque yo ya no quería seguir en aquel oficio. Dejé entonces al capellán.

fustán fustian (a cotton and linen fabric)

frisada with raised nap

Preguntas

1. ¿Cómo pasó Lazarillo con el pintor de tambores?
2. ¿Cuándo le contrató el capellán?
3. ¿Qué le dio a Lazarillo?
4. ¿Cómo estaba entonces Lazarillo?
5. ¿Cuánto ganaba?
6. ¿Cómo se vistió?
7. ¿Por qué tiene Lazarillo una espada?
8. ¿Qué hizo Lazarillo luego? ¿Por qué?

---

² *Cuéllar:* a town in the province of Segovia and one of the oldest sword-making centers in Spain. Lazarillo is imitating his former master, the squire.

TRATADO SEPTIMO
Lazarillo sirve a un alguacil

CAPITULO 15.
Lázaro obtiene un oficio real°

real royal

Al dejar al capellán comencé a servir de ayudante a un alguacil. Viví poco con él porque era un oficio peligroso. Una noche nos persiguieron unos fugitivos a mi amo y a mí con piedras y palos. Yo huí y supongo que trataron mal a mi amo. Con esto terminé mi contrato con el alguacil.

Dios me ayudó entonces, y con la ayuda de amigos y señores conseguí un oficio real, el cual lo tengo hoy, al servicio de Dios y de usted, mi lector. Mi oficio es pregonar°[1] los vinos que se venden en esta ciudad en los

pregonar to make public proclamations

[1] *pregonero,* town crier, one of the lowest city officials.

remates,° y las cosas perdidas. También acompaño a los presos y declaro en voz alta sus delitos. Soy pregonero, hablando en buen romance.

remates auctions

Me ha ido tan bien que casi todas las cosas que tienen que ver con lo dicho, pasan por mi mano. Así, el que quiere vender vino u otra cosa sabe que no sacará provecho si Lázaro de Tormes no anuncia.

En ese tiempo, viendo mi habilidad en pregonar sus vinos, el arcipreste de San Salvador, mi señor y amigo suyo, mi lector, procuró casarme° con una sirvienta suya. Viendo que de tal persona sólo podían venir favores y buenas cosas,[2] decidí hacerlo.

procuró casarme
managed to marry me

Preguntas

1. ¿Qué es un oficio real?
2. ¿Cree usted que Lazarillo debía huír? ¿Por qué?
3. ¿Qué oficio tiene ahora Lazarillo?
4. ¿Qué pregona?
5. ¿Qué hace con los presos?
6. ¿Qué quiere decir ". . . hablando en buen romance"?
7. ¿Cómo se caracteriza Lazarillo profesionalmente?
8. ¿Quién notó la habilidad de Lazarillo?
9. ¿Explique ". . . procuró casarme . . .".
10. ¿Por qué decidió hacerlo?

[2] *venir favores y buenas cosas:* Notice Lazarillo's concept of *honor*. He has no idea of love, but only of material gain and self-advancement. This is consistent with his role as the novel's anti-hero.

CAPITULO 16.
El matrimonio de Lazarillo

Me casé con la sirvienta del arcipreste y no me arrepiento.° Ella además de ser buena mujer, es diligente, servicial y sobre todo tengo la ayuda de mi señor arcipreste. Siempre le da a mi mujer una carga de trigo, carne en los días feriados, y de vez en cuando ropa vieja. Nos hizo alquilar una casita cerca de la suya y los domingos y días de fiesta, casi siempre, comemos en su casa.

arrepiento I am not sorry

Las malas lenguas dicen que ven a mi mujer ir a hacerle la cama y prepararle la comida al arcipreste. Esto es verdad. El me habló un día así delante de ella:

—Lázaro, tu mujer entra y sale de mi casa muy a tu honra.° No mires lo que la gente te puede decir sino tu provecho.

tu honra faithful to you

—Señor,—le dije—yo quise arrimarme a los buenos° y ya supe, por medio de mis amigos, que anteriormente mi mujer era su mujer.° Le hablo con respeto a su reverencia, porque ella está presente.

buenos powerful ones

mujer mistress

Entonces ella se maldijo,° lloró y luego maldijo a quien la había casado conmigo. Me arrepentí de lo que dije. Mas, mi amo por un lado y yo por otro conseguimos calmarla, prometiéndole, con juramento, que nunca más mencionaría yo lo dicho, y que en adelante ella podría entrar y salir, de día o noche, de la casa del arcipreste porque yo estaba seguro de su fidelidad.

se maldijo cursed herself

Hasta hoy día, cuando alguno de mis amigos quiere decir algo de ella, le digo:

—Mira, eres mi amigo, no me digas cosas que me pesen porque no tengo por amigo a quien me da pesar. Y es peor si se dice algo de mi mujer a quien amo más en este mundo. Yo juro por la hostia consagrada° que es la mujer más buena que vive en Toledo. Yo le mataré a quien diga otra cosa. De esta manera no me dicen nada, y tengo paz en mi casa.

hostia consagrada consecrated bread communion

Esto occurió el mismo año en que nuestro victorioso emperador entró en Toledo e hizo Cortes.[1] Se hicieron también grandes fiestas, como usted, mi lector, habrá oído. En ese tiempo estaba yo en mi prosperidad y en la cumbre de toda buena fortuna.

Preguntas

1. ¿Por qué no se arrepiente Lazarillo?
2. ¿Qué alquilaron? ¿Por qué?
3. ¿Qué dicen las malas lenguas? ¿Es verdad?
4. ¿Qué le dice el arcipreste a Lazarillo?
5. ¿Qué contesta Lazarillo?
6. ¿Qué dijo ella?
7. ¿Cómo consiguieron calmarla?
8. ¿Qué amenaza hace Lazarillo cuando hablan mal de su mujer?
9. ¿Por qué jura? ¿Qué es eso?
10. ¿Cuándo occurrió el episodio del arcipreste?
11. ¿Qué hizo el emperador Carlos V?
12. ¿Cómo estaba entonces Lazarillo?

[1] *entró en Toledo e hizo Cortes:* This apparently refers to the Cortes of 1525 held in Toledo. This Cortes was convened shortly after the battle of Pavia, which was a great victory for Charles V.

Vocabulary

Unless otherwise specified, nouns ending in **-o** are masculine and nouns ending in **-a,** feminine.

A

a, to, in, on, for, with, at, from, by

abajo down, downstairs

abalanzarse to charge, to rush (upon)

abrigo shelter, support, protection

abrir to open

abstinencia abstinence, want

abundante abundant, plentiful

acabar to finish

  acabarse to finish, to be over

  acabar de to finish; to have just (*done something)*

acemilero muleteer

aceña flour mill run by water power

acerca de about

acoger(se) to seek shelter, to betake oneself; to receive

acometer to attack

acordar to agree, to resolve

  acordarse (de), to recall, to remember; to agree

acostumbrado, -a customary

acostumbrar to be accustomed, to be in the habit of

acuerdo recollection

adelante forward, hence, ahead, farther on

  de aquí (en) adelante, de allí (en) adelante henceforth, thence;

  desde (allí) en adelante thenceforth, from this point on

además moreover

  además de besides

adestrar to guide, to lead

administrar to confer

adonde where;

  adónde where?

adversidad, la adversity, misfortune

adverso, -a adverse, unfavorable

afilado, -a sharp, pointed

agradar to please

agudo, -a acute, sharp, subtle

águila eagle, "wizard"

agujero hole

ahorrar to save, to save up

  ahorrar de to be rid of, to put an end to

aire, el air

alabanza praise

aldea village, hamlet

alegría joy, glee

algo something, anything; somewhat

  en algo in any way

algodón, el cotton

alguacil, el constable, bailiff

alguien someone, anyone

algún, alguno, -a some, any, at all; somebody

  alguno que whoever

alimento food

almorzar to have lunch, to have breakfast

alquilar to rent

  alquilarse to be rented out

alquiler, el rent

alrededor around

  los alrededores surroundings

alterado, -a disturbed

alterar to anger, to enrage, to upset

  alterarse to become angry

alto, -a high, upper; loud; noble

  lo alto de la casa the top floor

  lo más alto the highest part

alumbrar to light, to illuminate; to inspire

allá there, thither

  por allá fuera outside

allí there; then

  de allí en adelante thenceforth

amar to love

ambos both

amiguísimo, -a de most friendly to, very fond of

amo master
  el señor mi amo my worthy master

ancho, -a wide

andar to walk, to go, to travel, to go about; to continue; to be
  andar fuera, to gad about
  anda con Dios God go with you

angélico, -a angel-like

angosto, -a narrow

anoche last night

ante before

antes before; rather, on the contrary
  antes de, antes que before

antiguo, -a former; old

año year
  en el año within the year

apenas scarcely, hardly

apostar to bet, to gamble

aquel, aquella that, those

aquél, aquélla that one, those; the former

aquello that

aquí here
  aquí arriba up there
  aquí abajo here below

arañar to scratch

arca chest, box

arcipreste archpriest

arma weapon

armada armada, military expedition

arpar to tear, to rend; to scratch, to claw

arremeter(se) to throw (oneself) forward

arroyo stream; pool; gutter

arte, la art; breeding; craftiness, trick

asalto assault, attack

así thus, so also
  así que and so
  así como as much . . . as; both . . . and
  así . . . que, both . . . and

asno ass, donkey

astucia astuteness, cleverness

astuto, -a astute, clever

atrás back; before
  atrás de, behind
  para atrás backwards

aun, aún even, yet, still

aunque although, even if

avariento, -a avaricious, miserly

avaro miserly

ayudar to aid, to help
  ayudarse con to make use of

ayuntamiento town council; city hall

azotar to whip, to lash, to flog

azote, el lash, whip

B

bajo, -a low, base; *adv.,* under

bastón, el blind person's cane

besar to kiss
  besar las manos to be one's humble servant

beso kiss

bien well, good; very; indeed, surely; willingly

bien, el benefit, good, goods; solace
  bienes property
  mis bienes my good points

blanca old coin made of silver and copper

bolsa, el purse

bonete, el bonnet, cap

buen(o), -a good, well, fine

bula papal bull, indulgence

bulero seller of indulgences

burla jest, joke
  hacer burlas to play tricks
  caer en la burla to become aware of the trick

buscar to look for, to seek; to go and get
  buscar prestado to borrow

C

caballero gentleman, knight, squire
  caballeros de media talla lesser nobles

cabeza head
  cabeza de lobo cat's paw

cabrón, el billy goat

cada each
  cada cual each one

caer   to fall; to be caught
  caer en la cuenta   to see the point *caer en la burla*   to become aware of the trick
  caer en gracia   to please
  caer con   to come upon
calabaza   pumpkin, gourd
calabazada   blow on the head
calderero   coppersmith
calentar   to warm up, to heat, to keep warm
caliente   warm, hot
calle, la   street
  calle abajo   down the street
  calle arriba   up the street
cambio   change, exchange
  en cambio   on the other hand
camino   road, journey, way
candado   padlock
cántaro   pitcher, jug
cañuto, el   cane, reed, tube,
  de cañuto era   it was a tube
capellán, el   chaplain
carga   load
cargo   charge, job
  con cargo de   serving as
  ser en cargo   to be indebted
  hacerse cargo   to bear in mind
  tener a cargo   to be in charge of
carne, la   meat, flesh
carnero   mutton
carrera   career
  la carrera de vivir   the ways of life
casar(se)   to marry, to get married
caso   case, matter, situation, instance
  en caso de   in the matter of
  puesto caso   since
casta   breed
castigar   to chastise, to punish
castigo   punishment
causa   cause, reason
  a causa de   because of
causar   to cause
cazador, el   hunter
cazar   to chase, to drive out; to hunt; to catch
cebada   barley
cebolla   onion
cegar   to blind
cenar   to dine, to have supper

centenar, el   hundred (*lashes*)
cera   wax
cerca (de)   near, about
cerrar   to close, lock
ciego, -a   blind
  el ciego, la ciega   blind man, blind woman
cielo   sky, heaven
clavar   to nail up, to board up
clavo   nail
clérigo   cleric, priest
cliente, el   client
cobardía   cowardice, cowardly act
cobrar   to charge; to collect; to cover
cocer   to bake; to boil; to cook
coger   to seize, to take, to gather in, to catch, to grab, to pluck
colchón, el   mattress
colgar   to hang
comer   to eat; to have dinner
  comerse   to eat up
  no hay qué comer   there is nothing to eat
  dar de comer   to feed
  de comer   something to eat
  el comer   eating
comida   food, meal
como   as, like, since; when; as long as, provided
  de como esto   as for this
cómo   how? what? how! well!
comparación, la   comparison
compás, el   bearing, carriage
componer   to repair, to mend
comprender   to understand
con   with, to, by
  con que,   then, so
conciencia   conscience
  reformar la conciencia   to quiet one's conscience
conde, el   count
confesar   to confess, to admit
confiar   to trust
conocer   to know, to recognize; to realize
consagrado, -a   consecrated
consejo   counsel, advice
consigo   with himself, toward himself
contado, -a   measured

contar to tell, to relate; to count, to reckon, to calculate

contentar to please

contentarse to be satisfied

contestar to reply, to answer

convento monastery, convent

convidar to invite, to treat

corazón, el heart; courage

coro choir, chorus

de coro by memory

correr to run, to chase

a todo correr at top speed

cortar to cut

corte, la court

las cortes Spanish Parliament

cosa thing, matter, affair

otra cosa anything else

cosecha harvest

de su cosecha of his own invention

coser to sew

costal, el sack, bag

costar to cost

costar mucho to require a great deal of effort

costar caro to pay dearly

costumbre, la custom, habit, manner, mannerism

como de costumbre as usual

costura seam

crecer to grow, to increase

creer to believe, to think

creer en to trust

criada servant

criado -a raised, bred, mannered

el criado, la criada servant

criar to raise, to bring up; to breed, to foster, to create, to stimulate, to bring up

cruzar to cross

cual which; like, as

cada cual each one

tal cual such as

cual (el, la, lo) which, who(m); it, he, him, she, her; this

por lo cual wherefore

cualquier(a) whichever, whatever, any

un cualquier a nobody

cuando when; now and then

de cuando en cuando from time to time

cuanto all, all that; as much (as), so long

en cuanto as soon as, while

en cuanto a as for

cuanto más ... más the more ... the more

cuanto que somewhat

cuerdo -a prudent, wise, clever

cuidado care, worry

tener cuidado to take care

pierda cuidado do not worry

culebra snake

culpado culprit

cumbre, la top, height, summit

cumplir to fulfill; to grant; to complete, to end; to behoove; to be important

cumplir el deseo to satisfy the desire

cumplir con to comply with

cura, el curate, priest

curar to cure, to treat; to take care of, to care

chupar to suck

D

dado *pp. of* **dar**

estar dado al diablo con to be devilish at

daño harm, injury

dar to give, to hand over; to cause; to hit, to strike

dar al diablo to curse

dar un tropezón to slip up

dar lugar to give room

dar mucho que hacer to keep busy

dar con to come upon, to strike, to land; to throw; to betake oneself

dar en to strike; get into; to hit upon

dar de comer to feed

debajo (de) under(neath)

deber ought, should, must; to owe

deber de can, must; probably

el deber duty

decir to say, to tell, to ask, to mention, to mean

querer decir to mean

por mejor decir to put it better

dije para mí I said to myself

decir que sí to say yes

dejar to let, to leave, to abandon
  dejar a (con la) vida to spare
  dejar de to fail, to omit, to refrain
  dejar caer to drop, to let out
delincuente, el culprit
delito crime

demanda demand, request, accusation
  negar la demanda to deny the claim
    (*legal term*)
demás rest
  por lo demás for the rest
  por demás superfluous
dentro (de) within, in, inside
  por de dentro on the inside

derecho -a right, direct, straight; genuine
  más de su derecho more than it ought to
    go
  el derecho fee
derretir to melt
derribado, -a razed, dilapidated
derribar to throw down
desamparar to abandon, to leave
  unsheltered; to let go of
desastrado, -a ill-fated
descalabrar to break one's head, to beat
  soundly, to bruise
descargar to discharge
descoser to rip open
descubrir to discover, to reveal, to dis-
  close
descuidarse to be careless, to be negligent;
  to be off one's guard; to be at one's ease

desde from
  desde que since; as soon as
  desde a cuatro días four days after
desdicha misfortune, ill luck
desdichado, -a unfortunate, luckless
desenvuelto, -a unrestrained, bold
deseo desire
  cumplir con el deseo to satisfy the de-
    sire
  a mi deseo as I desired
desmayado, -a unconscious
  caer desmayado to faint
  el desmayado unconscious man
desmayo swoon, fainting spell
despachar to dispatch, to finish

despedir to dispense; to sell; to say goodbye
despensa pantry
despertar to awaken, to wake up
después after, afterward, later; since
  después (que), después (de) after
desvergonzado, -a shameless, impudent
deuda debt
devolver to return, to give back
devoto -a devout
diablo devil
dicha fortune, luck
dicho, -a aforesaid, said, mentioned
  en dicha y hecho in word and deed
  el dicho remark
diente, el tooth
diligencia diligence, care; industry
diligente diligent; active
Dios God
discípulo disciple, pupil
donde where
  dónde where?
dormido, -a asleep
  hacer el dormido to pretend to be
    asleep
dormir to sleep
dueño master, owner
dulce sweet
durante during
durar to last; to hold out
durazno freestone peach
duro, -a hard, hard-hearted

E

echado lying down, resting
echar to throw, to cast
encarcelado, a in jail
encerrar to enclose, to hold, to contain
encima (de) on top (of), over, on
encomendar to commend, to entrust, to
  charge, to urge
encontrar to find, to meet
  encontrar con to meet
enfermar to cause to be ill
enfermo, -a sick, feeble
engañar to deceive, to defraud

engaño   deceit, fraud
enseñar   to teach, to instruct
ensilado, -a   stored away
entender   to understand
  entender en   to deal with
  dar a entender   to show, to reveal, to make clear
entendimiento   understanding
enterarse (de)   to find out
enternecido, -a   softened
entonces   then
entrada   entrance
entrar (en)   to enter
entre   between, amidst, among
  entre mí   to myself
episodio   episode
escalón, el   step
escapar   to escape
esconder   to hide
escritor, el   writer
escudero   squire
esfuerzo   effort
espada   sword
espantar   to frighten, to scare
  espantarse   to be astounded
espanto   fright
  poner espanto   to frighten
esperanza   hope
esperar   to hope, to expect; to await, to wait for
estación, la   season
estado   state, condition
estirado, -a   stretched out; erect; long
esto   this
  por esto   for this reason
  con esto   thereupon
  en esto   thereupon
  sin esto   besides
  con todo esto   whereupon; nevertheless
  a todo esto   hereupon; during all this
  y esto   and this (*should be borne in mind*)
estómago   stomach
estorbar   to disturb, to interfere with
estrecho, -a   narrow
  el estrecho   strait
estruendo   noise
excitar   to upset
excomunión, la   excommunication

experiencia   experiment
extranjero   stranger, foreigner

F

fácilmente   easily, deftly
faisán, el   pheasant
falsedad, la   falsehood, forgery
falso, -a   false, treacherous
fantasía   fancy, imagination, conceit
fardel, el   bag, knapsack
fatiga   hardship
favor   favor, advantage, support
feligrés, el   parishioner
fiel   faithful
fiero, -a   fierce, violent
finalmente   finally, in short
fingir   to feign, to pretend, to claim
flaco, -a   weak, feeble
flaqueza   weakness, feebleness
flaquísimo, -a   very weak, very feeble
fraile, el   friar
frazada   blanket
fresco, -a   cool
frío, -a   cold
  tener frío   to be cold
  en frío   chilled
  el frío   cold
frisar   to frizzle
fruto   fruit; profit
fuego   fire
fuente, la   fountain, drain
fuentecilla   little drain, small fountain
fuera   outside
  fuera de   out of
  por allá fuera   outside
fuerza   force, strength, might, vigor
  por fuerza   under compulsion
fustán, el   fustian (*a cotton and linen fabric*)

G

galgo   greyhound
ganar   to gain, to earn
  ganar por la mano   to be the first; to anticipate
  ganarse   to earn

garrotazo blow with a club, whack
garrote, el a heavy club
gastar to spend; to waste, to consume
gente, la people
   gente de servicio servants
gentil genteel, graceful; "highfalutin"
gesto facial expression; face, grimace
gloria glory; heaven
golpe, el blow
gozar to enjoy
gracia grace, charm; favor; joke
   caer en gracia to please
   dar gracias to give thanks
gran (de) big, large, great; loud
guardar to keep; to guard, to observe
   guardarse de to guard against
guerra war
   dar guerra a to wage war on
guiar to guide
guisar to cook
   guisar comida to cook meals
gusano worm
gustar to enjoy
gusto taste; diversion, pleasure

H

habilidad, la ability, skill
hábito habit, robe; guise
hacia toward, in the direction of
hacienda estate, property, household, belonging
   contar su hacienda to give an account of one's affairs
hambre, la hunger
hambriento, -a hungry, starved
hasta until, up to, even
   hasta hoy día until this very day
   hasta que until
hazaña deed, act; prank
hecho deed
hecho, *pp. of* **hacer**
   hecho a accustomed to
   mal hecho awkward
herida wound
hermanito little brother
hidalgo nobleman

hijo son
hilandera spinner
hombre, el man; one
   hombre de justicia bailiff
   hombre de bien respectable person, gentleman
   gentilhombre aristocratic-looking man
hombro shoulder
hondo, -a deep
honra honor; exaggerated pride
hora hour; time; point (*in time*)
horca string (*of onions*)
hoy today
   hasta hoy to this day
   hasta hoy día until this very day
   de hoy en adelante henceforth
   hoy día nowadays
   de hoy más from today on
hueco, -a hollow
huérfano orphan
hueso bone
huir to flee, to run away
humilde humble, modest

I

igual, el equal, peer
indulgencia indulgence, pardon
ingenio mind, talent, wit, cleverness
injustamente unjustly
injusticia injustice
inocencia innocence
insigne illustrious
instante, el instant, moment
ir to go; to run; to be
   ir a la mano to stop
   irse to go away, to escape
   irse con Dios goodbye
ira wrath

J

jamás ever, never
jarro jug, clay cup
jerigonza jargon; thieves' slang
jubón, el jacket

juego   game; turn, prank
  hacer juego   to play a game
  hacer juego con   to play a trick on
jugar   to play, to play for
juramento   oath
  echar juramentos sobre sí   to swear
jurar   to swear
justicia   justice; police
  hombre de justicia   bailiff
  por justicia   legal

L

lacerado, -a   wretched
  lacerado de mí   wretched me
  el lacerado   wretch
laceria   misery; poverty; pittance
  alguna laceria   a little something
ladrón, el   thief, robber
lanza   lance
lanzar   to throw, to hurl, to expel
largo, -a   long
lástima   pity
  haber (tener) lado (de)   to take pity (on)
  dar lástima   to inspire pity
latín, el   Latin
leal   loyal, faithful
lechuga   head of lettuce
lector, el   reader
lengua   tongue
libra   pound
licor, el   liquor, liquid
lienzo   linen
ligeramente   lightly, deftly
lima   lime
limosna   alms
  de limosna   for alms
lo   the; *pron.,* it, so
  por lo que,   because
lóbrego, -a   lugubrious, dismal, gloomy
lodo   mud
longaniza   sausage
luego   immediately, at once; soon; later
  luego que   as soon as
  luego otro día   the very next day
lugar, el   place; village, town
  dar lugar   to give occasion, to provide
    opportunity

  en lugar de   in place of, instead of
  tener lugar   to take place
lumbre, la   fire, light
luz, la   light; guide

Ll

llanto   wailing, tears
llave, la   key
  tras llave   under lock and key
  cerrada con llave   locked
llegar(se)   to arrive; to arrive in, to come; to bring near, to put near; to approach; to reach
llevar(se)   to take, to take along; to bear, to suffer; to lead; to get; to remove, to carry away; to raise
  llevar razón   to be right
llorar   to lament, to bewail, to weep, to weep at
llover   to rain
lluvia   rain

M

madera   wood
maestro   master, teacher
mal, el   evil; harm, sin; ailment; trouble
  echar a mal   to condemn, to discard
  por mal   unwillingly
maldecir   to curse
malicia   malice, maliciousness
mal(o)   bad(ly), wicked; ugly; ill
  estar mal   to be ill
  de mal en peor   from bad to worse
  por mal   unwillingly
mandar   to send, to order; to command
manga   sleeve; wallet
manta   blanket
maña   skill; trick, artifice
  darse buena maña   to make good use of one's wits
mañana   tomorrow
  de mañana   in the morning, early
  la mañana   morning
maravedí, el   old Spanish coin

maravilla marvel
  a las mil maravillas marvelously well
marido husband
mas but
más more, most
  lo más the most
  nunca más no more
  cuanto más the more
mayor greater, greatest; principal
  al por mayor wholesale, in bulk
  el mayor chief, superior
medicina medicine, cure
mejor better, best
  en lo mejor in the best part
mejorar to improve
melocotón, el clingstone peach
merced, la mercy, grace, favor; worship
  hacer merced to be merciful
merecer to deserve, to merit
mesón, el inn, tavern
mientras (que) while
migaja crumb
migas crumbs
milagro miracle
mirar to look, to look at, to consider
misa the Mass
miseria misery
mísero -a, miserly, mean
  el mísero de mí my miserly
mitad, la half
  en la mitad by half
modo manner, way
mojar to wet
moler to grind
molestia trouble; annoyances
molienda milling, grinding
molinero miller
molino flour mill
morder to bite
moreno, -a brown; dark, black
morir to die
  morir por to long for
moro Moor
mozo boy; manservant
  mozo de caballos stable boy
mozuelo young lad
  buen mozuelo a boy who is quite grown-up

mucho, -a much; greatly, very much
muerto, -a dead
  el muerto corpse

N

nacer to be born
nativo native
necesario, -a necessary
  lo necesario what is necessary
necesidad, la necessity, need
necio fool, dunce
negar to deny
  negar la demanda to deny the claim
    (*legal term*)
negocio business, affair
negro, -a black; unfortunate, luckless, ill-fated, wretched
ni nor, not either; or
ningún, ninguno -a none, not any; *pron.,* no one

O

obra work, task, job; composition
obscuridad, la darkness
obstáculo obstacle
ofender to offend
oficial, el artisan
oficio occupation, trade, pursuit, office; service
ofrecer to offer
oído ear
oír to hear, to listen
oler to smell
olor, el smell
olvidar(se) to forget
oración, la prayer; sentence
  hacer oración to offer prayer
orden, el order
  en orden orderly
ordenar to ordain
orilla bank, shore

P

padecer to suffer
padrastro stepfather

padre, el father
los padres parents
pagar to pay
pago payment; reward; salary
paja straw
pajas straw mattress
palo stick, staff
palomar, el pigeon house, rookery
paño cloth
papa, el Pope
par, el pair, couple
el par de a couple of
a la par at an even pace
para for, in order to, for the purpose of; about; to; toward
para que in order that
para con by comparison with
parar to stop
pararse to stop; to place oneself
pariente, el relative
parte, la part, share; party, side; place
alguna parte somewhere
a una parte y a otra in all directions
por la mayor parte for the most part
pascuas, las Church holidays
pasearse to pace up and down
pausado, -a slow
paz, la peace
poner en paz to pacify, to make peace
pecado sin, evil
pecador, -a wretched
el pecador sinner
pecador de mí poor sinner (*that I am*)
pecador el ciego poor blind sinner
pecadora sinner
pecadora arca poor chest
pecho breast, chest
pechos breast, chest
pedazo piece
pedir to ask, to request
pedir por Dios to beg
pedrada throw of a stone
a pedradas with a hail of stones
pegar(se) to stick, to cling; to communicate; to inflict
peinado, -a combed
peinarse to comb one's hair
pelado, -a skinned, peeled, hairless

pena pain, grief, trouble; penalty
tener pena de to worry about
so pena under penalty
pensar to think, to believe; to intend, to expect
pensar en to think about
peor worse, worst
de mal en peor from bad to worse
pequeño, -a small, little
pera pear
perder to lose, to get rid of
perderse por to give one's soul for
perdido por madly fond of
perdidas, las losses
pero but
persecución persecution, abuse; suffering
perseguir to pursue; to persecute
perverso, -a perverse, wicked
pesquisa investigation
pesquisar to investigate
picar to pick
piedra stone
piedra imán magnet
pierna leg
pilar, el pillar, column
pintar to paint
placer to please
el placer pleasure
muy a su placer with great relish
plata silver
plato plate
plazo period (*of time*), interval
pobreza poverty
poco -a little, few
poder to be able, can
el poder power, strength, ability, faculty; possession; care
pompa ceremony, pomp
poner to place, to put, to set, to lay; to get; to apply; to contrive; to expose; to give
por for, for the sake of; by, about; in; through; over; as at; to, in order to
por lo que because
porque because, for; so that
por qué why
portal, el doorway, portico; hall, vestibule
los portales arcade

posada   inn, tavern, lodging
precio   price, value
predicador, el   preacher
predicar   preach
pregón, el   proclamation
pregonar   to proclaim, to cry out
pregonero   town crier
preguntar   to ask (*a question*), to question
prender   to seize, to arrest
preso, *p.p. of* prender
  el preso   prisoner
presunción, la   presumptuousness, vanity
pringada   dripping; basting
pringar   to baste; to tar; to wound; to thrash
prisa   hurry
  a gran(de) prisa   in a great hurry
  llevar prisa   to be in a hurry
probar   to prove, to confirm; to try, to test, to taste; to fit
procurar   to try, to seek, to endeavor; to procure
prometer   to promise
provecho   benefit, profit, advantage
provechoso, -a   profitable
pueblo   town, village; people
puente, el and la   bridge
puerta   door, gate; open neck
  a esta otra puerta   try next door
  de puerta en puerta   from door to door
puerto   harbor, port

Q

quebrar   to break
  quebrar un ojo   to put out an eye
quejar(se)   to complain
querer   to wish, to desire, to want, to like, to will
  querer bien   to love, to like
  querer mal   to hate
  querer decir   to mean
quien -es   who, one who, he who, whom; those who
quién, -es   who? he who?; those who?
quijada   jaw
quince   fifteen
  a los quince días   after two weeks
quinto, -a   fifth

R

rabia   rage, wrath
racimo   bunch (*of grapes*)
raído, -a   threadbare
raíz   root
rato   moment
  gran rato   long while
ratón, el   mouse
ratonera   mousetrap
real   royal
real   bit (*coin*)
rebozado, -a   veiled
reciamente   firmly
recio, -a   strong, vigorous, hard; loud
recordar   to recall, to remember; to bring to (*one's senses*)
refrán   refrain; proverb
refrescar   to get the cool air
regalar   to present, to make a gift of, to give presents; to treat kindly
regla   rule
regladamente   moderately
reino   kingdom, land
reír(se) (de)   to laugh (at)
relámpago   lightning
relatar   to relate, to narrate
remar   to row
remediar   to remedy, to help, to relieve; to cure
remedio   remedy, relief, help, treatment; cure; advantage; scheme
  poner remedio   to give help
renegar   to curse; to renounce
  renegar del trato   to resign the job
requebrar   to woo; to pay compliments
requesta   request; chat
restante   what is left over
reverendas, las   orders
revés, el   reverse; back wrong side
revolver   to turn again and again; to turn over
  revolverse   to roll around
rezar   to pray
ribera   river bank
  ribera de   on the bank of
rico, -a   rich; substantial
rincón, el   corner
risa   laughter

robar to rob, to deprive of

roer to gnaw

rogar to beg, to pray, to beseech, to ask

romance vernacular (*Spanish*)

romper to break; to tear; to destroy; to wear out

rostro face

roto, -a broken

ruego prayer, request

ruin degrading, vile, wretched; desolate

ruinmente wretchedly, abominably

S

sábana sheet

   sábanas de los caballos horse covers

saber to know, to know how; to taste; to learn, to find out

   saber mal to be harmful

   el saber intelligence; knowledge

sabor savor, relish, taste

sabroso, -a tasty, delicious

sacerdote, el priest

saeta arrow, dart

salida departure, exit

salir to leave, to go out, to come (out); to turn out (*to be*)

salsa sauce, spice; appetizer; appetite

salud, la health

saludar to greet

sanar to cure, to heal

sangrar to bleed

sangre, la blood

sangría bleeding, gash; theft (*thieves' slang*)

sano, -a healthy, recovered, well

   medio sano only half recovered

santiguarse to make the sign of the cross

saya blouse; coat

sazonado, -a seasoned, spiced

seglar secular, worldly

según according to, in accordance with, considering, as, for

seguro, -a safe, sure; safely

semana week

   entre semana during the week

semblante, el face, visage

seno bosom, chest

sentarse to sit down

sentido sense(s), consciousness, intelligence

   sacar de sentido to leave (*someone*) unconscious

   sin ningún sentido senseless

   sin sentido unconscious

sentir to feel, to perceive, to notice, to hear; to see through

señal, la sign, omen

señor, el mister, sir, gentleman, lord

   el señor mi amo my honorable master

   Señor the Lord

sepultura tomb, grave

ser to be, to become, to happen

   ser de to belong to; to become of

   ser en cargo to be indebted

   ser parte para to be capable of

sermón, el sermon

   sermón de pasión Holy Week sermon

servir to serve

   servir para to be good for

   servirse de to make use of

   servir de to serve as

   hacer servir de to use

seso brain

si if, whether, unless

   ¡si ... ! how can you!

sí yes; himself, herself, itself, themselves; indeed

siempre always, ever

siguiente following, next

silbar to whistle

silbo hissing

silencio silence

   tener silencio to stop talking

sin (que) but

sirviente, el servant

sobrar to be excessive, to be left over

sobrenombre surname

sobresaltado, -a startled, frightened

sobresalto surprise, shock

socorrer to help

soltar to emit; to cast forth

sonable sonorous

sonar to sound, to make a noise; to be heard about

sonido sound
sonreírse to smile
sosegado, -a calm, easy, dignified
sospecha suspicion, doubt
sospechar to suspect
sostener to support
subir to go up; to rise; to mount; to increase
   subirse to go up, to ascend
suelo floor; ground; bottom
   de mal suelo unlucky location
sufrir to suffer, to endure
suplicar to pray, to beg, to entreat
susto fright, scare

T

tal such (a); so much; such and such
   ¿qué tal? how are you?
también also
tampoco either, neither, not either, nor
tan so, as
   tan (tanto) . . . cuanto as . . . as
   tan (tanto) . . . como as (as much, as big) . . . as
tanto, -a so much, so many
   tanto más especially
   entre tanto in the meantime
   en tanto (que) (mean)while
   un tanto somewhat
   algún tanto somewhat
   en tanto in the meantime
   por tanto therefore *adv.*, so much, so much so
   ciento y tantos (-as) one hundred odd
   otros tantos that many
tañer to ring, to toll
tapar to cover, to stop up
tardanza tardiness, delay
tardar to delay
   tardar en to be long in
tarde afternoon; *adj.,* late; *adv.,* late
   de tarde en tarde every now and then
tela web
temer to fear
temor, el fear
   poner temor to inspire fear

temeroso, -a frightened, scared
tener to have, to hold, to keep
   tener frío to be cold
   tener por to consider
   tenerse to sustain oneself, to stand up
   tener por qué to have a reason
   tener gran cuidado to be very careful
   ¿qué tienes? what is the matter with you?
   tener en mucho to esteem highly, to respect
   tener en poco to scorn
tercer(o), -a, third
tiempo time; opportunity
tierra earth, land, country, region
   allá en mi tierra down home
tío uncle, "grandpa"
tirar to pull; to throw
   tirar coces to kick
título title
tocar to touch; to affect, to concern
   por lo que tocaba a for the sake of
todavía yet, still, even
todo, -a all, every; everything
   todo lo que all (that)
   todos cuantos all those who
   de todo en todo once and for all
   del todo entirely
   con todo however
tomar to take, to seize; to reach
   tomarse a to begin to
tono tone, voice
topar (con) to encounter, to come across, to run against
tope, el charge
tornar(se) to return, to turn; to become
   tornar a + *infinitive* to do (*something*) again
   en sí tornar to regain consciousness
toro bull
torrezno rasher of bacon
traer to bring; to have; to draw; to earn; to carry
traidor, el traitor, rascal, villain
trampa trap
trastornar to upset
tratar to treat
trigo wheat
tripa tripe

tripería meat market where tripe is sold
triunfar to triumph
trueno thunder

U

uña fingernail, claw
  uña de vaca cow's heel
  uñas paws
usar to use; to practice; to behave
utensilio utensil
uva grape

V

vaca cow
  uña de vaca cow's heel
valeroso, -a lofty, noble
vara rod (*of authority*); badge
vasija vessel, pitcher
vecina neighbor
vecindad, la neighborhood
  tener vecindad con to be a neighbor of
vecino neighbor
vender to sell
venganza revenge, satisfaction
venir to come
  venir a to come to the point of
  venirse to come on
  venir al encuentro to come toward
ventura fortune, chance
  por ventura perchance, perhaps
ver to see
verdad, la truth
  es verdad it is true
  por verdad in truth
verdadero, -a true, accurate
verdiñal greenish; tart
vergüenza shame

vez, la time
  de vez en cuando from time to time
  a veces at times
  tal vez perhaps
  las más veces most often, generally
  una vez once
  muchas veces many times, often
  una y otra vez time and time again
  de cuantas veces as often as
  en veces from time to time, at times
vida life, living
  en mi vida ever, never
  por mi vida upon my word
  por vuestra vida by all that is dear to you
  dar la vida to keep alive
vieja old woman
vigilancia vigilance
villa town
virtud, la virtue
visaje, el grimace
viuda widow; *adj.,* widowed
vivienda dwelling, house; way of life
vivir to live
  el vivir mode of living
vivo, -a living
voluntad will, desire; mind
  tener en voluntad to desire
volver to return
  volverse to turn; to become
  volver en sí to regain consciousness
  volver en su acuerdo to regain one's
    senses
voz, la voice
  dar (grandes) voces to shout
  a (grandes) voces (very) loud
vuelta turn, return; change
  dar vueltas to turn

Y

ya already, now
  ya que since; as soon as; after
  ya no no longer

NTC SPANISH TEXTS AND MATERIALS

Computer Software
Basic Vocabulary Builder on Computer
Amigo: Vocabulary Software
Videocassette, Activity Book, and Instructor's
 Manual
VideoPasaporte Español

Graded Readers
Diálogos simpáticos
Cuentitos simpáticos
Cuentos simpáticos
Beginner's Spanish Reader
Easy Spanish Reader

Workbooks
Así escribimos
Ya escribimos
¡A escribir!
Composiciones ilustradas
Nueva gramática comunicativa
Spanish Verb Drills
Spanish Grammar in Review

Exploratory Language Books
Spanish for Beginners
Let's Learn Spanish Picture Dictionary
Spanish Picture Dictionary
Getting Started in Spanish
Just Enough Spanish

Conversation Books
¡Empecemos a charlar!
Basic Spanish Conversation
Conversando
Diálogos contemporáneos
Everyday Conversations in Spanish
Al corriente
Manual and Audiocassette
How to Pronounce Spanish Correctly

Text and Audiocassette Learning Packages
Just Listen 'n Learn Spanish
Just Listen 'n Learn Spanish Plus
Just Listen 'n Learn Business Spanish
Practice and Improve Your Spanish
Practice and Improve Your Spanish Plus
Destination Spanish

High-Interest Readers
Sr. Pepino Series
 La momia desaparece
 La casa embrujada
 El secuestro

Journeys to Adventure Series
 Un verano misterioso
 La herencia
 El ojo de agua
 El enredo
 El jaguar curioso

Humor in Spanish and English
Spanish`a la Cartoon

Puzzle and Word Game Books
Easy Spanish Crossword Puzzles
Easy Spanish Word Games & Puzzles
Easy Spanish Vocabulary Puzzles
Easy Spanish Word Power Games

Transparencies
Everyday Situations in Spanish

Black-line Masters
Spanish Verbs and Vocabulary Bingo Games
Spanish Crossword Puzzles
Spanish Word Games for Beginners
Spanish Culture Puzzles
Spanish Word Games
Spanish Vocabulary Puzzles
Creative Communicative Activities for the
 Spanish Class

Handbooks and Reference Books
Complete Handbook of Spanish Verbs
Spanish Verbs and Essentials of Grammar
Nice 'n Easy Spanish Grammar
Tratado de ortografía razonada
Redacte mejor comercialmente
Guide to Correspondence in Spanish
Guide to Spanish Idioms
Side by Side Spanish & English Grammar
Guide to Spanish Suffixes
Spanish Grammar in Review
¡Escriba con estilo!
BBC Phrase Book

Dictionaries
Vox Modern Spanish and English Dictionary
Vox New College Spanish and English
 Dictionary
Vox Compact Spanish and English Dictionary
Vox Everyday Spanish and English Dictionary
Vox Traveler's Spanish and English Dictionary
Vox Super-Mini Spanish and English Dictionary
Cervantes-Walls Spanish and English Dictionary

For further information or a current catalog, write:
National Textbook Company
a division of *NTC Publishing Group*
4255 West Touhy Avenue
Lincolnwood, Illinois 60646–1975 U.S.A.